À Georges
Stéphane

À Walther Marcel
Pascal

« Ô que ma quille éclate ! Ô que j'aille à la mer ! »
Arthur Rimbaud

Première édition dans la collection *lutin poche* : octobre 2004
© 1997, l'école des loisirs, Paris
Loi numéro 49 956 du 16 juillet 1949 sur les publications
destinées à la jeunesse : septembre 2002
Dépôt légal : octobre 2004
Imprimé en France par Mame à Tours

La Princesse de Neige

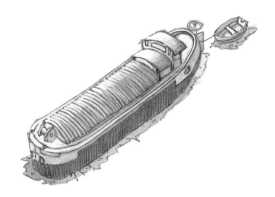

Texte de Pascal Nottet
Illustrations de Stéphane Girel

Pastel
lutin poche de l'école des loisirs
11, rue de Sèvres, Paris 6e

« La Toison d'Or est toujours prisonnière de la banquise, Capitaine ! »
« Abel, nous avons vécu pas mal d'aventures, mais celle-ci me semble
bien être la dernière ! Les vivres sont épuisés et les secours les plus proches
se trouvent à plus de… »

– Abel, pour la dernière fois, arrête de jouer
et viens déjeuner ! Après, nous irons jusqu'au village
faire des provisions. La radio vient d'annoncer le dégel.
Notre péniche sera bientôt libérée de la glace du canal.
Demain, *La Toison d'Or* reprendra le fil de l'eau.

« Capitaine, le blizzard s'est arrêté de hurler. Je prépare l'attelage
avec les chiens et je fonce chasser l'ours polaire et la baleine à bosse ! »
« Abel, tu es notre dernière chance… »

— Cesse de ronchonner, Abel. Nous sommes vendredi et comme chaque vendredi, ce sera du poisson !

– Que puis-je vous servir, ma petite dame ?
– Une demi-livre d'anchois, deux harengs saurs
et un beau citron, s'il vous plaît, monsieur.

« *Abel, Dieu soit loué, tu es vivant !* »

« *Capitaine, nous sommes sauvés. J'ai harponné une orque redoutable.*
À mon retour, au nord-est du pont de glace, j'ai découvert
le Royaume de Neige. J'ai croisé sa princesse dans son traîneau.
Elle m'a souri... »

– Abel, la neige a cessé de tomber. Viens donc m'aider
à étendre la lessive.

« *Capitaine, je vais hisser notre pavillon au grand mât.* »

– Maman, il me faudrait encore un peu d'ouate.
– Tout à l'heure, mon garçon. Va plutôt à la rencontre
de ton père. Il n'est pas bon à ton âge de rester
toujours enfermé !

« *A*bel ! Regarde ! Mais regarde donc !
Elle est là… Mets vite ton caban et file à sa rencontre ! »

« *Tu sais que je suis timide !* »

« *N*otre tueur de baleines, notre héros intrépide aurait-il peur d'une petite fille ? »

– Bonjour, Abel. Viens que je te présente une jolie terrienne.
Tu ne connais pas encore Alys ? C'est la petite de Jef,
le pontier. Alys, voici mon fils, le meilleur moussaillon
du canal du Centre et de la Haute Meuse.
– On s'est croisés sur le chemin de halage…

– La glace fond à vue d'œil ! Je vous laisse, les enfants.

– Je t'ai vu tout à l'heure avec ton théâtre
au travers du hublot.
– J'aime inventer des histoires, et toi ?
– J'aime les écouter…
– Alors, je vais t'en raconter une…

« Au Royaume de Neige vivait une petite princesse. Elle était belle comme l'albâtre ; sa voix était douce et sucrée comme le chant du pinson. Prisonnier des glaces, son royaume était coupé de tout. Dès les beaux jours, on pouvait apercevoir la princesse à sa fenêtre, guettant la première voile qui déchirerait l'horizon. Bientôt, les bateaux gorgés d'épices, de blé ou de belles soieries s'amarrèrent au ponton. »

« Un jour débarqua un jeune marin. Il raconta à la princesse
les azurs verts, les ineffables vents, les hippocampes noirs
et les incroyables Florides. Il lui apprit le chant des baleines,
l'alphabet morse, les nœuds doubles et celui d'attache.
Ils tombèrent éperdument amoureux l'un de l'autre. »

« *Le jeune marin était déchiré. Sa vie était sur mer et son premier amour sur terre. Ils se firent le serment de se revoir. Le jour de son départ, il remit à la princesse de Neige cinq graines de roses trémières. Cinq graines semblables à celles-ci. Il lui dit de les enfouir en terre et promit qu'il serait de retour avant que le dernier bouton n'éclose.* »

– J'aime cette histoire. Elle est gaie et triste à la fois… Le jeune marin a-t-il tenu sa promesse ?
– J'ai ma fin, tu dois bien avoir la tienne…

— Nos parents nous appellent. Il faut nous quitter.

« *Abel, c'est le grand jour.*
Largue les amarres et hisse les voiles, moussaillon ! »
« *Que les vents s'y engouffrent et nous emportent à la mer !* »

Gens de l'eau douce

> " *Toute ma vie, je l'ai passée tel un chien errant.*
> *Libre et heureux de courir les places et les ruelles.*
> *Aujourd'hui, je vis avec une laisse et son collier.*"

Arthur Vandevoorde

Des mariniers, je ne connaissais rien...

J'avais seulement quelques souvenirs épars de leurs péniches glissant sur les eaux noires de la Sambre et cette fascination de toujours pour les gens du voyage, qu'ils soient manouches, vagabonds, forains ou mariniers. Même s'il n'en paraît rien, *La Princesse de Neige* est née au hasard de mes rencontres sur les chemins de halage.
J'ai eu l'envie de consigner ces bavardages avant qu'ils ne disparaissent un laid jour, tout comme le métier de marinier.

Dans sa petite maison à côté du fleuve, Arthur Vandevoorde se souvient encore des marinières et de leurs enfants qui tractaient les péniches. Une sangle appelée bricole attachée à la poitrine les reliait au bateau par un filin.
Il leur fallait tirer de toutes leurs forces au démarrage. Elles tricotaient parfois tout en halant!
Ensuite, ce furent les chevaux et les mules. On les louait au kilomètre, si l'on n'en possédait pas soi-même.
Peu à peu, ils furent remplacés par des Citroën à chenilles ou des remorqueurs à vapeur. Et, enfin, apparut le moteur diesel marine et la compétitivité à tout prix...

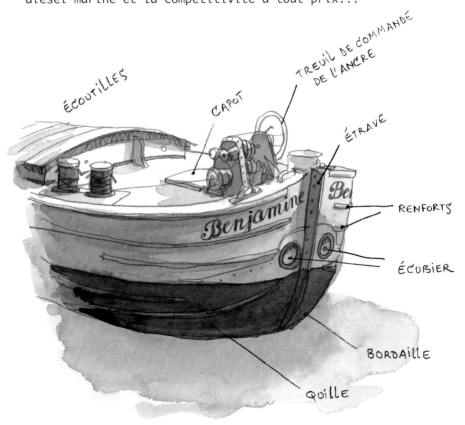

ÉCOUTILLES

CAPOT

TREUIL DE COMMANDE DE L'ANCRE

ÉTRAVE

RENFORTS

ÉCUBIER

BORDAILLE

QUILLE

"On ne devient pas batelier, on l'est de naissance.
J'ai vu le jour sur la péniche en bois de mes parents."

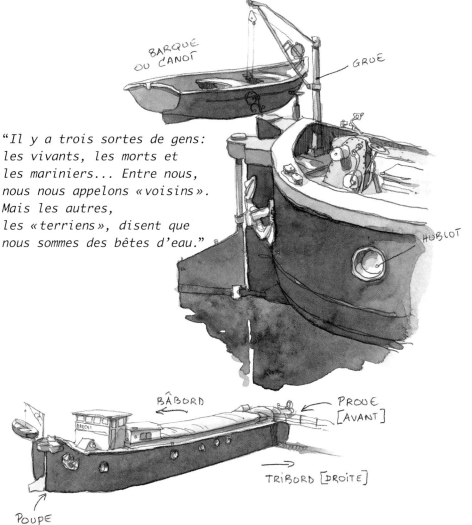

BARQUE OU CANOT

GRUE

"Il y a trois sortes de gens:
les vivants, les morts et
les mariniers... Entre nous,
nous nous appelons «voisins».
Mais les autres,
les «terriens», disent que
nous sommes des bêtes d'eau."

HUBLOT

BÂBORD

PROUE
[AVANT]

TRIBORD [DROITE]

POUPE

"Mon père me transmit le métier et quatorze années plus tard,
j'étais à la barre de l'Arthur."

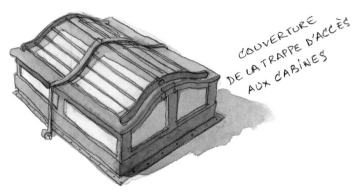

COUVERTURE
DE LA TRAPPE D'ACCÈS
AUX CABINES

Aujourd'hui, il existe des écoles pour les enfants
des mariniers qui veulent perpétuer le métier.
Ils y sont reçus dès l'âge de six ans.
Pensionnaires, ils retrouvent parfois leurs parents
les week-ends. Tout dépend de la durée des voyages.

GOUVERNAIL

SAFRAN

"Il n'y a guère d'avenir pour les mariniers.
Les canaux sont en mauvais état et le travail se fait rare.
Il est de plus en plus difficile de faire vivre une famille."

"*Ma dernière péniche, Le Scoridor, je l'ai sauvée de la casse.
Elle sera transformée en bateau à touristes...
L'État nous offre des primes de déchirage* pour nous faire
abandonner les péniches.*"

*Mise hors service de la péniche, qui sera découpée au chalumeau.

BITTE
D'AMARRAGE

Une péniche de 1000 tonnes transporte
l'équivalent de 40 wagons ou de 50 camions.
Elle consomme cinq fois moins de mazout
qu'un camion par tonne transportée.

Une barque est obligatoire à bord.

Les modèles de péniches (gabarit, tonnage) varient selon
les cargaisons à transporter et le genre de navigation
(fleuve ou canal).

Le Scoridor est une péniche de type «SPITS», comme l'on en rencontre en Belgique et aux Pays-Bas. 300 tonnes de chargement. 38 m 50 de longueur. Toute en fer riveté et soudé.
En France, cette même péniche est dite de type «FREYCINET».

"*Nous avons toujours voyagé au long jour, c'est-à-dire du lever du soleil à son coucher.*
Nous naviguons à une vitesse de 2 nœuds*, soit 3,6 kilomètres à l'heure, soit un mètre parcouru en une seconde."

Ce drapeau placé
à la proue
signale
tout mouvement
du bateau.

* La vitesse des bateaux se calcule en nœuds ("mille" à l'heure). Un mille marin équivaut à 1852 mètres.

Protégée par les écoutilles*, la cale à marchandises
constitue la plus grande partie de la péniche.

* Couverture amovible cintrée, en bois ou métal, qui recouvre la cale.

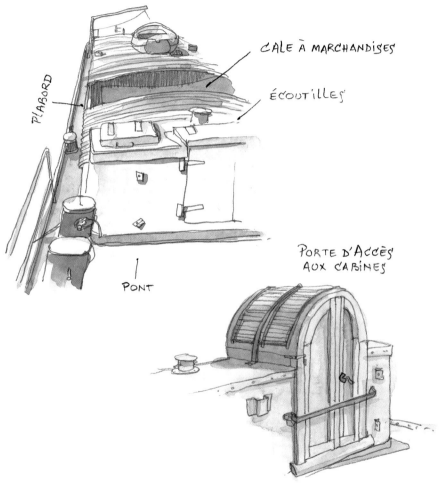

CALE À MARCHANDISES

ÉCOUTILLES

PLABORD

PONT

PORTE D'ACCÈS
AUX CABINES

"On transporte du ciment, du malt, des pierres, du sable,
de la mitraille, du charbon,... Il m'est même arrivé d'avoir
250 tonnes de petits pois dans les cales."

À la poupe se trouve inscrit le numéro d'immatriculation
de la péniche ainsi que le port d'attache, le pays,
le nom du propriétaire et celui de la péniche.

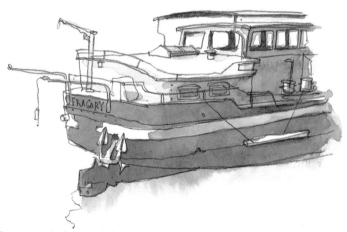

Pour nommer leurs péniches, les bateliers ont coutume
de contracter leurs prénoms. On peut imaginer, ici,
que le marinier et sa femme s'appellent FRANçoise et GréGORY.
Le plus souvent, c'est le prénom de leur enfant qui ornera la proue.

*"L'équipage doit compter au minimum deux personnes:
un capitaine à la barre et un mousse aux amarres,
place généralement dévolue à nos femmes."*

Les péniches sont équipées de moteurs diesels.
Des batteries alimentent les ampoules et les
appareils électriques en courant 24 volts.
Chez les terriens, c'est du 110 ou du 220 volts.

Peu de mariniers ont une voiture,
mais tous possèdent un vélo.

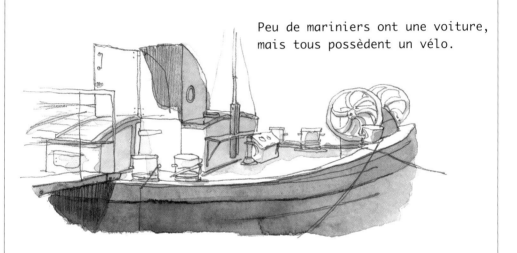

Jouxtant la timonerie appelée aussi marquise,
le logement du marinier et de sa famille.
L'habitat est composé d'un coin cuisine, une petite
pièce de $16\,m^2$ habillée d'acajou, donnant accès
à une ou deux cabines.

Vu le peu d'espace disponible pour le logement,
les mariniers ont rarement plus de deux enfants.

Bien à l'abri dans la marquise, le capitaine tient la barre de conduite appelée aussi macaron. C'est dans cette pièce vitrée que se trouve le mariphone, téléphone des mariniers servant à mariphoner entre voisins ou à communiquer leur progression aux éclusiers.

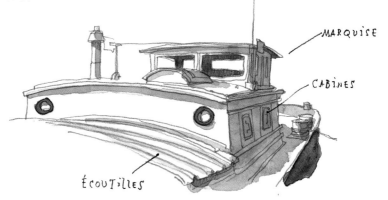

MARQUISE

CABINES

ÉCOUTILLES

Les écluses et les ascenceurs permettent aux bateaux de passer d'un niveau supérieur à un niveau inférieur d'un canal, et vice versa, en fonction de la déclivité des terres.

ASCENCEUR N° 3 DE STREPY BRACQUEGNIES. CANAL DU CENTRE [BELGIQUE]

"Les éclusiers nous ravitaillent en eau potable. Ils servent également de relais postaux. Certains nous vendent les légumes de leur potager ou les fruits de leur verger."

Comme chaque jour, Arthur Vandevoorde a pris le chemin
de halage. Sans doute arrêtera-t-il sa mobylette
pour regarder les trop rares péniches glisser en silence.
Peut-être discutera-t-il des humeurs du temps auprès
d'un pontier ou d'un chef éclusier ?
Puis, c'est sûr, il s'en ira retrouver ses copains
dans un café face à l'Escaut. Ils bavarderont de l'avenir
de la batellerie et de leurs vies passées au ras du ciel.
De ces années où ils étaient libres et heureux de courir
les places et les ruelles.

Tels des chiens sans collier.